ᓄᓇᒃᑯᑦ ᐃᖏᕐᕋᔾᔪᑎᑦ
NUNAKKUT INGIRRAJJUTIT
LAND TRANSPORTATION

ᐅᓇ ᓄᓇᒃᑰᕈᑎ.

Una nunakkuuruti.

This is a truck.

rosenbauer
7
16-762

ᐅᓇ ᖃᑦᑎᕆᔾᔪᑎ.

Una qattirijjuti.

This is a fire truck.

ᐅᓇ ᐃᒥᖅᑕᐅᑎ.

Una imiqtauti.

This is a water truck.

ᐅᓇ ᑐᒃᑲᕆᐊᓕᒃ.

Una tukkarialik.

This is a bicycle.

ᐅᓇ ᑎᓴᒪᓕᒃ.

Una tisamalik.

This is an ATV.

ᐅᓇ ᕿᒧᑕᐅᔭᖅ.

Una qamutaujaq.

This is a snowmobile.

ᐅᑯᐊᒃ ᖃᒧᑏᒃ.

Ukuak qamutiik.

This is a qamutiik.

Nunavummi